효린파파의

즐겁게 따라 쓰면 저절로 완성되는

막 써지는

영어 알파벳

성기홍(효린파파) 지음

· BOOK 2 ·

알파벳 F~J

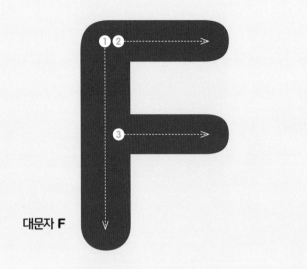

대문자 F

소문자 f

🦋 그림을 보고 알맞은 알파벳 스티커를 붙여 보세요.

F AN

f ox

F AT

f art

🌈 대문자 F와 소문자 f를 순서에 맞게 따라 써 보세요.

단어를 소리 내어 말하고, 첫소리 글자에 색칠한 후 스티커를 붙여 보세요.

대문자 F와 소문자 f를 따라 써 보세요.

대문자 F와 소문자 f를 따라가며 아빠 여우의 방귀 냄새를 창밖으로 빼내 주세요.

소문자 f를 따라 쓰면서 그림에 알맞은 문장을 완성해 보세요.

A at fox farts.

Turn on the fan.

들어 보세요

대문자 **G**　　　　소문자 **g**

🦋 그림을 보고 알맞은 알파벳 스티커를 붙여 보세요.

G IRL　　　　g lue

G UM　　　　g rab

🌈 대문자 G와 소문자 g를 순서에 맞게 따라 써 보세요.

6

단어를 소리 내어 말하고, 첫소리 글자에 색칠한 후 스티커를 붙여 보세요.

대문자 G와 소문자 g를 따라 써 보세요.

대문자 G와 소문자 g를 따라가며 보물 상자에 도착해 보세요.

대문자 G와 소문자 g를 따라 쓰고 알맞은 그림과 연결해 보세요

GLUE

gum

girl

GRAB

GOAT

giraffe

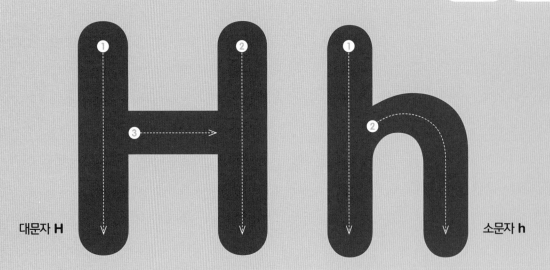

대문자 H   소문자 h

🦋 그림을 보고 알맞은 알파벳 스티커를 붙여 보세요.

H AT   h en

H UG   h i

🌈 대문자 H와 소문자 h를 순서에 맞게 따라 써 보세요.

단어를 소리 내어 말하고, 첫소리 글자에 색칠한 후 스티커를 붙여 보세요.

))) 말해요	색칠해요	붙여요
	f / **h** > **at**	hat
	b / **h** > **ug**	hug
	h / **b** > **i**	hi
	h / **d** > **en**	hen

대문자 H와 소문자 h를 따라 써 보세요.

HAT

hug

hen

HI

대문자 H와 소문자 h가 들어간 단어의 그림에 모두 동그라미 하고, 알파벳을 따라 써 보세요.

HAT

bee

eight

hen

HUG

CRAB

angry

grab

HI

대문자 H와 소문자 h를 따라 쓰면서 그림에 알맞은 문장을 완성해 보세요.

A hen hugs a hat and says "Hi."

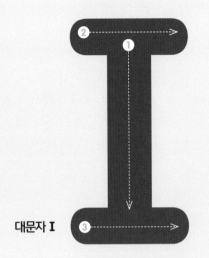

대문자 **I**

소문자 **i**

🦋 그림을 보고 알맞은 알파벳 스티커를 붙여 보세요.

I GLOO

i ll

I NSECT

i n

🌈 대문자 I와 소문자 i를 순서에 맞게 따라 써 보세요.

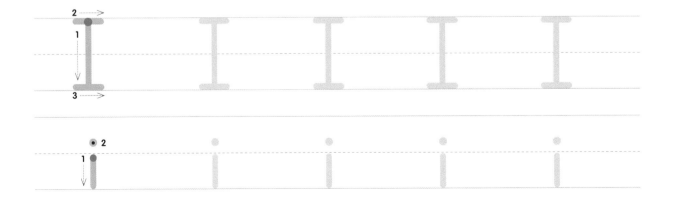

단어를 소리 내어 말하고, 첫소리 글자에 색칠한 후 스티커를 붙여 보세요.

대문자 I와 소문자 i를 따라 써 보세요.

대문자 I와 소문자 i를 따라가며 곤충을 채집통에 넣어 보세요.

insect
따라 써 보세요!

in
따라 써 보세요!

INK

il

INSECT

n

iguana

IGLOO

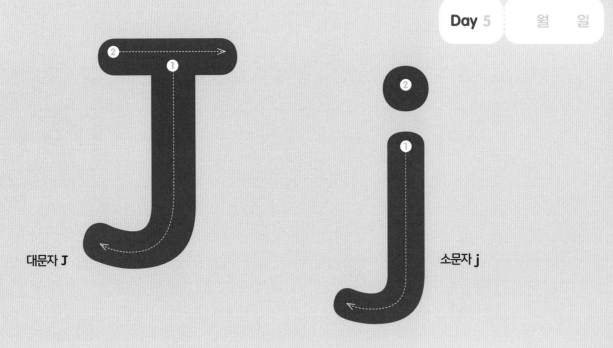

대문자 **J**　소문자 **j**

🦋 그림을 보고 알맞은 알파벳 스티커를 붙여 보세요.

J **AM**

j **ump**

J **AR**

j **og**

🌈 대문자 **J**와 소문자 **j**를 순서에 맞게 따라 써 보세요.

J　J　J　J　J

j　j　j　j　j

단어를 소리 내어 말하고, 첫소리 글자에 색칠한 후 스티커를 붙여 보세요.

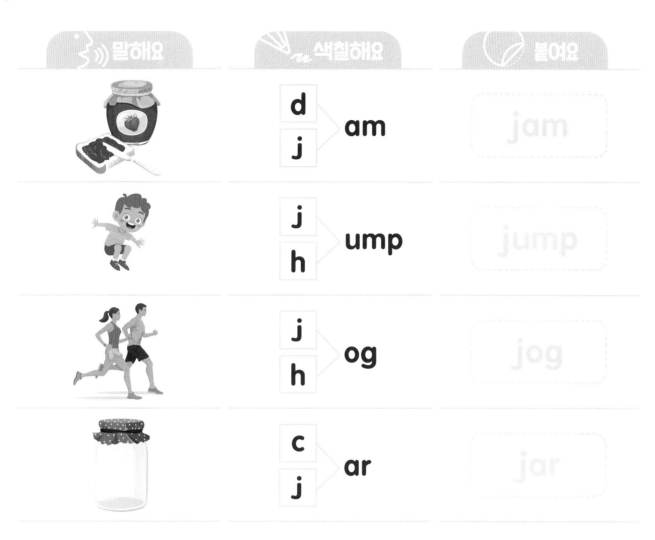

대문자 J와 소문자 j를 따라 써 보세요.

대문자 J와 소문자 j를 바르게 짝지은 것을 <u>모두</u> 찾아 동그라미 해 보세요.

J

I-j

J-j

F-f

G-h

J-J

H-g

D-e

J-j

J-j

E-b

A-j

대문자 J를 따라 쓰면서 퍼즐을 완성해 보세요.

J O G

A

J U M P

소문자 i와 j를 따라 쓰면서 그림에 알맞은 문장을 완성해 보세요.

An ill insect jogs

in a jam jar.

F ... J 복습

💕 알파벳 Ff, Gg, Hh, Ii, Jj를 <u>모두</u> 찾아 동그라미 해 보세요.

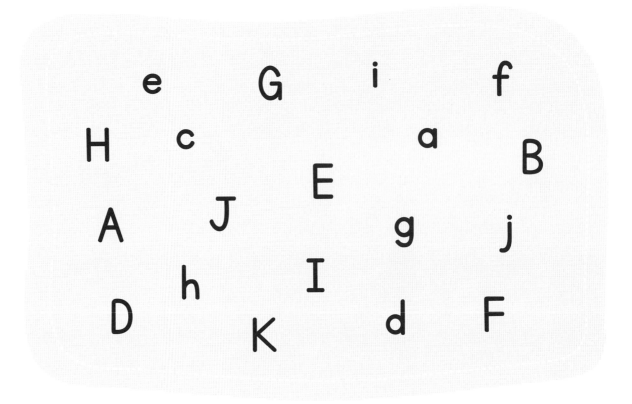

👁 대문자와 소문자를 다시 한번 따라 써 보세요.

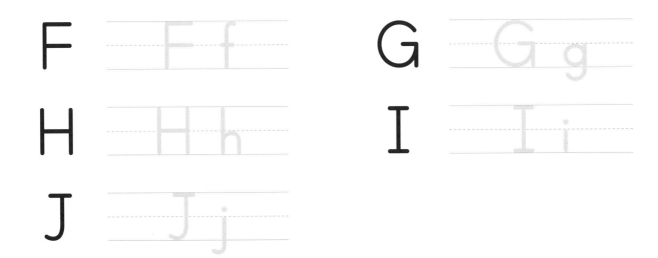

단어 속에서 알파벳 Ff, Gg, Hh, Ii, Jj를 찾아 보세요.
Ff에는 ○, Gg에는 □, Hh에는 △, Ii에는 ☆, Jj에는 ♡를 그려 보세요.

이렇게 해 보세요   j o g

 g u m

 h u g

 H E N

 j a m

 f a n

 e i g h t

 G I R L

 J U M P

 F O X

 I G L O O

23

보기 속 단어를 아래 퍼즐에서 <u>모두</u> 찾아 동그라미 해 보세요.

보기

HAT	GRAB	FAT	FART
ILL	IN	JAR	JOG

```
T U I N C V F
H F U P H G A
M H A T J R R
I S U J G A T
G J P O T B D
T A R G F A T
J R I L L W T
```

퍼즐에서 찾은 단어들을 대문자로 다시 한번 써 보세요.

HAT

💗 알파벳 사이에서 알맞은 단어를 찾아 동그라미 하고 다시 한번 써 보세요.

gidi**digi**

EGEGGGEG

eeigloog

dig

loo

hhiihlih

igheighti

DIGBIGIG

t

 알파벳 사이에서 알맞은 단어를 찾아 동그라미 하고 다시 한번 써 보세요.

TFATTAFA

GIGGIRLG

jemjamaj

T

RL

m

hhennheh

dladgrab

glueeogu

n

r

lu

26

부분과 전체 그림을 연결하고 알맞은 단어를 대문자와 소문자로 써 보세요.

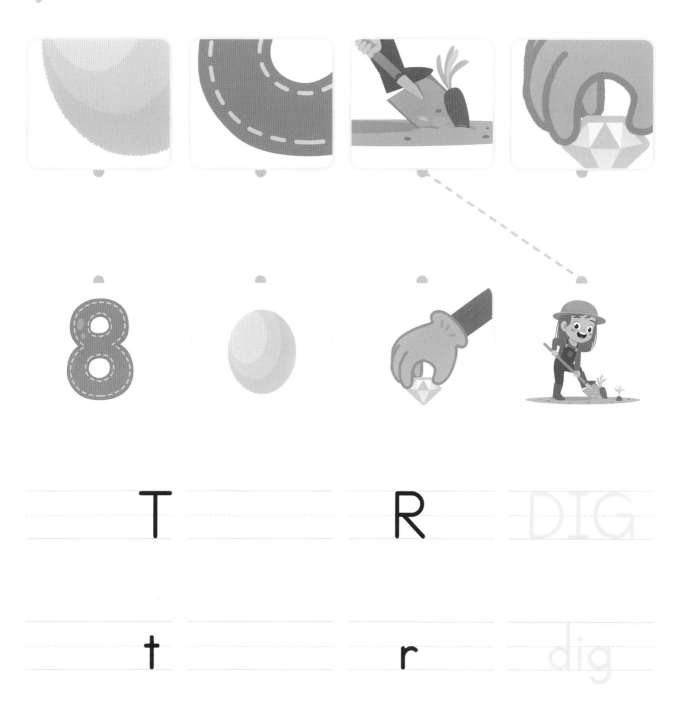

T   R   DIG

t   r   dig

보기   **FOX DIG CRAB GRAB EIGHT EGG**

부분과 전체 그림을 연결하고 알맞은 단어를 소문자와 대문자로 써 보세요.

loo   n   big   m

LOO   N   BIG   M

보기 big   gum   jam   hen   iguana   igloo

28